Caps, Hats, Socks, AND Mittens

A Book About the Four Seasons

by LOUISE BORDEN

illustrated by LILLIAN HOBAN

ម្លុកកាតឹប ម្លុក ស្រោមជើង និង ស្រោមដៃ

សៀវភៅស្ដីអំពីរដូវទាំងបួន ដោយ ល្វីស ប៊រដិន

រូបភាពដោយ លីលាន ហូបែន

SCHOLASTIC INC.

New York Toronto London Auckland Sydney

ISBN 0-439-47722-0

25 24 23   6/0

Printed in the U.S.A.
                                                              23

For Catie and Ayars
—L.B.

រដូវធ្លាក់ទឹកកកគឺជាពេលត្រូវប្រើ
មួកកាតិប
មួក
ស្រោមជើង
និងស្រោមដៃ។

Winter is
caps,
hats,
socks,
and mittens.

Winter is
red sleds
up
a
hill.

រដូវផ្នាក់ទឹកកកគឺត្រូវតែអូស
ក្ដារវំអិលពណ៌ក្រហម
ឡើងទៅលើកូនភ្នំតូចមួយៗ។

រដូវធ្លាក់ទឹកកកគឺត្រូវជិះ
ក្បាលរអិលពណ៌ក្រហម
ចុះពីលើកូនភ្នំតូចមួយ។

Winter is
red sleds
down
a
hill.

Winter is
a lot of stuff to put on
and a lot of stuff
to get off!
រដូវផ្កាក់ទឹកកកគឺត្រូវយក
របស់ជាច្រើនមកពាក់
ហើយត្រូវដោះចេញរបស់
ជាច្រើនផងដែរ!

Winter is fun
out and in.

រដូវរងារធ្លាក់ទឹកកកធ្វើឱ្យសប្បាយរីករាយ
ទាំងនៅក្រៅ ហើយនិងនៅក្នុងផ្ទះ។

រដូវរងា ធ្លាក់ទឹកកកគឺជាពេលសម្រាប់
កែវធំក្ដៅ
និងថែងក្ដៅ
ឈ្ងុយណាស់។ ឈ្ងុយណាស់។

Winter is
hot mugs
and hot cups.
Yum, yum.

Winter is
snug in bed.

រដូវរងាក់ទឹកកកគឺជាពេល
គក់ក្តៅស្រួលនៅលើគ្រែ។

រដូវវស្សាហើយគឺដុះ
ស្មៅ ស្មៅ ស្មៅ
ប៉ាគាត់កាត់ស្មៅ
ហើយគាត់កាត់ស្មៅ
ហើយគាត់កាត់ស្មៅ។
Spring is
grass, grass, grass.
Dad cuts the grass
and cuts the grass
and cuts the grass.

Spring is mud to dig.
Mud on my hands.
Mud on my pants.
Mud in my pan.
Mud in my can.
A mud song!

រដូវវស្សាហើយមានភក់សម្រាប់ជីក។
ភក់នៅលើដៃខ្ញុំ។
ភក់នៅលើខោខ្ញុំ។
ភក់នៅក្នុងខ្ទះខ្ញុំ។
ភក់នៅក្នុងកំប៉ុងខ្ញុំ។
ចម្រៀងអំពីភក់!

រដូវរាំហើយសម្បូរណ៌ទៅដោយ
ផើង និង កូនរុក្ខជាតិ
ហើយ កូនរុក្ខជាតិស្ថិតនៅក្នុងផើង។

Spring is
pots and plants
and plants in pots.

Spring is a nest of eggs,
a bed of twigs
and grass
and moss.

រដូវរំហើយគឺមានសំបុកពេញទៅដោយពងសត្វ
ពំនូកមែកឈើ
និងស្មៅ
ហើយនិងស្លេ។

រដូវវំហើយ មានភាពសើម
ស្រក់តក់ៗ ស្រក់តក់ ស្រក់តក់ៗ
ស្រក់តក់ៗ ស្រក់តក់ ស្រក់តក់ៗ

Spring is wet.
Drip, drip, drip.
Drip, drip, drip.

Spring is
picnics
in the sun.

រដូវរំហើយ គឺជាពេលសម្រាប់
ពិចនិក
នៅក្រោមកំដៅថ្ងៃ។

រដូវរំហើយ គឺសម្រាប់
រត់ រត់ រត់!
ឡើង ឡើង ឡើង!
Spring is
run, run, run!
Up, up, up!

Summer is
sun and sand,
flags and bands.

រដូវក្តៅ គឺជាពេលសម្រាប់
ពន្លឺថ្ងៃ និងដីខ្សាច់
ទង់ជាតិ និង ក្រុមភ្លេង។

រដូវក្តៅ គឺ ក្តៅ ក្តៅ ក្តៅ។
សម្បូរណ៍ទៅដោយ នំបុ័ងដាក់សាច់ក្រក។
នំបុ័ងដាក់សាច់ក្រក
ហើយនិងនំបុ័ងដាក់សាច់ក្រក។

Summer is hot, hot, hot.
Lots of hot dogs.
Hot dog and hot dogs.

Summer is a ball game.
"I can bat."
"I can toss."
Caps off!
Hats off!
"I lost my mitt!"

រដូវក្តៅ គឺជាពេលសម្រាប់ល្បែងលេងបាល់។
"ខ្ញុំអាចវាយកូនបាល់និងដំបងបាន"។
"ខ្ញុំអាចបោះបាល់បាន"។
ដោះមួកកាគីបចេញ!   ដោះមួកចេញ!
"ខ្ញុំបាត់ស្រោមដៃរបស់ខ្ញុំ"។

រដូវក្ដៅ គឺជាពេល...
"ខ្ញុំអាចហែលទឹក!"
"ខ្ញុំអាចហែលលឿន"។
"១...២...៣..."
"លោត!"

Summer is . . .
"I can swim!"
"I can swim fast."
"1 . . . 2 . . . 3 . . ."
"Jump!"

Summer is
a jar full of bugs.

រដូវក្ដៅ គឺជាពេលដែល
ក្រឡុពេញទៅដោយសត្វល្អិត។

Summer is a fish in a pond
and a frog on a pad.

រដូវក្តៅ គឺជាពេលដែលត្រីនៅក្នុងត្រពាំង
ហើយកង្កែបនៅលើស្លឹកព្រលិត។

Fall is lots of smells.
Nuts and pumpkins
and corn in husks.
រដូវស្លឹកឈើជ្រុះ គឺជាពេលដែលមានក្លិនគ្រប់យ៉ាង។
គ្រាប់ផ្លែឈើ និងផ្លែល្ពៅ
និង ពោត នៅក្នុងសំបក។

រដូវស្លឹកឈើជ្រុះ គឺមាន
ពណ៌ក្រហម
លឿងទុំ
លឿង
ត្នោត
នាពេលរូបលច់។

Fall is
red,
orange,
yellow,
brown
at dusk.

Fall is
pens and desks.

រដូវស្លឹកឈើជ្រុះ
គឺជាពេលសម្រាប់ប្រើ
ស្លាបប៉ាកកា
និងតុសរសេរ។